NAPOLEON HILL

Autor de + ESPERTO QUE O DIABO e *Atitude Mental Positiva*

PUBLICAÇÃO OFICIAL AUTORIZADA

A FÓRMULA DA AUTOCONFIANÇA

Título original: *Napoleon Hill's Self-Confidence Formula*

A fórmula da autoconfiança

1ª edição: Abril 2023

Autor:
Napoleon Hill
Fundação Napoleon Hill

Tradução:
Karina Gercke

Preparação:
Flávia Araujo (Estúdio Kenosis)

Revisão:
Debora Capella
3GB Consulting

Projeto gráfico e capa:
Jéssica Wendy

DADOS INTERNACIONAIS DE CATALOGAÇÃO NA PUBLICAÇÃO (CIP)

Hill, Napoleon.
A fórmula da autoconfiança : descubra como nunca mais ficar sem rumo na vida / Napoleon Hill ; tradução de Karina Gercke. — Porto Alegre : Citadel, 2023.
144 p.

ISBN: 978-65-5047-217-7

1. Autoajuda 2. Autoconfiança 3. Sucesso I. Título II. Gercke, Karina

23-0708 CDD - 158.1

Angélica Ilacqua - Bibliotecária - CRB-8/7057

Produção editorial e distribuição:

contato@citadel.com.br
www.citadel.com.br

NAPOLEON HILL

Autor de + ESPERTO QUE O DIABO e *Atitude Mental Positiva*

PUBLICAÇÃO OFICIAL AUTORIZADA

A FÓRMULA DA AUTOCONFIANÇA

DESCUBRA COMO
NUNCA MAIS FICAR
SEM RUMO NA VIDA

Tradução:
Karina Gercke

2023

Você agora está de posse da grande chave que abrirá as portas para o que você deseja ser. Chame essa grande chave como quiser. Considere-a à luz de uma força puramente científica, se preferir; ou veja-a como um poder divino, pertencente à grande massa de fenômenos desconhecidos que a humanidade ainda não compreendeu. Em ambos os casos, o resultado será o mesmo: SUCESSO!

– *Napoleon Hill, "Autoconfiança",* do curso de Psicologia Aplicada do George Washington Institute, 1917

SUMÁRIO

PREFÁCIO 9

CAPÍTULO 1 **31**

O QUE É AUTOCONFIANÇA?

CAPÍTULO 2 **51**

OBTENDO PODER POR MEIO DO SEU CÍRCULO ÍNTIMO

CAPÍTULO 3 **73**

CONDICIONANDO SUA MENTE PARA RECONHECER A OPORTUNIDADE

CAPÍTULO 4 **93**

CONSTRUINDO A CONFIANÇA POR MEIO DA AÇÃO

CAPÍTULO 5 **109**

INSPIRANDO AUTOCONFIANÇA NA PRÓXIMA GERAÇÃO

COMO DESENVOLVER A AUTOCONFIANÇA 127

DIÁRIO 131

NOTAS 135

SOBRE O AUTOR 139

PREFÁCIO

Qual é a característica mais importante para determinar o sucesso de um indivíduo na vida?

- Desejo?
- Propósito definido?
- Confiança?
- Uma atitude mental positiva?

E se houvesse uma qualidade cuja presença ativasse todos esses outros requisitos de sucesso – e cuja ausência os tornasse inócuos?

De acordo com Napoleon Hill, existe um atributo fundamental que contribui e resulta de todos os princípios de realização individual que formaram a sua filosofia da Lei do Sucesso. Assim ele exclama:

> Esforce-se o quanto quiser e não conseguirá ser feliz a menos que você ACREDITE EM SI MESMO! Trabalhe com toda a força à sua disposição e não conseguirá acumular mais do que o suficiente para viver, a menos que ACREDITE EM SI MESMO! A única pessoa em todo este mundo cujos esforços podem fazer com que você seja extremamente feliz EM TODAS AS CIRCUNSTÂNCIAS, e cujo trabalho pode ajudá-lo a acumular toda a riqueza material lícita, é VOCÊ MESMO![1]

A autoconfiança pode ser corretamente compreendida como a espinha dorsal do método de sucesso de Hill. Mas, apesar de ser crucial para a prosperidade e a felicidade, essa característica é significativamente pouco desenvolvida na maioria dos indivíduos.

A maior parte dos seres humanos no mundo de hoje se move pela vida sem rumo e sem ânimo, olhando para o chão em vez de para o alto e à frente, para as riquezas financeiras, espirituais e emocionais que eles poderiam reivindicar. Eles permitem que opiniões externas ditem como devem se vestir e enxergar o mundo. A passividade dos seres humanos permite que pensamentos negativos se infiltrem em sua mente subconsciente, o que os prejudica ao trabalhar para transformar essas ideias dominantes em realidade. Como resultado, as pessoas sem autoconfiança *vagam* pela vida, infinitamente insatisfeitas com suas circunstâncias e usando essa inquietação como um álibi para sua baixa autoestima.

Acabou o tempo da dúvida, da insegurança sobre si mesmo e da autocrítica. Sua confiança em si mesmo e a sua capacidade de alcançar seu desejo principal fazem a diferença entre o sucesso e o fracasso. Dispostas na balança estão a sua segurança emocional e a financeira. Hoje – *neste exato minuto* – você começa uma jornada de descoberta, reconhecimento e compartilhamento de seus pontos fortes para que possa recuperar a energia e a motivação necessárias para alcançar os seus objetivos.

Acabou o tempo
da dúvida,
da insegurança
sobre si mesmo
e da autocrítica.

Este livro prepara você com as estratégias recomendadas por Hill para controlar os seus pensamentos a fim de DESENVOLVER a sua autoconfiança. Depois de lê-lo, você será capaz não só de operar em um plano superior de pensamento e ação – atraindo mais oportunidades, ganhando influência e desfrutando de melhores relacionamentos –, mas também de incutir essa qualidade crítica nos outros, especialmente nos indivíduos mais jovens, que atualmente estão formando o seu modo de ser.

SUPERANDO O DEMÔNIO DA DÚVIDA E DA INSEGURANÇA SOBRE SI MESMO

Como repórter de uma cidade pequena, Wise County, na Virgínia, Hill sabia o impacto que a autoconfiança tinha na trajetória de vida de uma pessoa. Foi a autoconfiança, inspirada nele por sua madrasta, que lhe permitiu perseguir um sonho que o tirou da pobreza de sua infância. Por acaso, após uma entrevista com Andrew Carnegie, Hill recebeu instruções do magnata do aço para realizar um projeto de pesquisa ao qual Hill acabaria dedicando a vida: estudar os pensamentos, as atitudes e os comportamentos dos indivíduos mais bem-sucedidos a fim de produzir uma filosofia abrangente de sucesso.

Décadas de pesquisa inicial contribuíram para a filosofia da Lei do Sucesso de Hill, que ele elaboraria em inúmeros discursos, artigos de revistas, livros e programas de estudo. De sua série de oito volumes, *A lei do triunfo* (*The Law of Success*), ao seu maior best-seller, *Quem pensa enriquece* (*Think and Grow Rich*), ao *Regras de ouro de Napoleon Hill* (*Golden Rule Magazine*), e ao *A ciência do sucesso* (*PMA: Science of Success*), entre outros, todos os escritos de Hill compartilham o objetivo de elevar os pensamentos das pessoas para que possam alcançar as alturas do sucesso, independentemente de como elas definam isso para si mesmas.

Mas sem a autoconfiança, como Hill reconheceu por experiência própria, os seres humanos não podem aproveitar o poder de seus pensamentos para alcançar o seu desejo principal. Após décadas de pesquisa e ensino de sua filosofia de sucesso, Hill descobriu que a sua própria baixa autoestima estava inibindo a sua liberdade de pensamento e impedindo-o de realizar os seus sonhos. Ele compartilha:

Das minhas dificuldades, que eram bastante pesadas até então, surgiu uma que parecia mais dolorosa do que todas as outras juntas. Foi a percepção de que passei a maior parte dos últimos anos perseguindo um arco-íris, procurando aqui e ali pela causa do sucesso, e me descobrindo agora mais desamparado do que qualquer uma das 25 mil pessoas que julguei serem 'fracassadas'.

Esse pensamento era quase enlouquecedor. Além disso, foi extremamente humilhante, porque estava dando palestras por todo o país, em escolas e faculdades e perante organizações empresariais, ousando dizer a outras pessoas como aplicar os dezessete princípios do sucesso, enquanto eu mesmo era incapaz de aplicá-los. Eu tinha certeza de que nunca mais poderia enfrentar o mundo com um sentimento de confiança.

Toda vez que eu me olhava no espelho, notava uma expressão de autodesprezo no rosto, e não raramente dizia, ao homem no espelho, coisas que não podiam ser publicadas. Comecei a me colocar na categoria dos charlatães que oferecem aos outros um remédio para o fracasso que eles mesmos não podem aplicar com sucesso.[2]

Superar as autopercepções negativas causadas pelo medo e pelas atitudes destrutivas enraizadas nele pela sociedade foi o trabalho mais difícil da vida de Hill, mas também o mais gratificante. Uma vez que foi capaz de se libertar das garras do medo e da dúvida sobre si mesmo, ele se viu capaz de colocar em prática a sua filosofia de sucesso em toda a sua extensão, tornando--se o maior especialista em realização pessoal.

O PRIMEIRO REQUISITO DO SUCESSO

Por ser crucial para controlar os pensamentos, organizá-los em planos definidos e, finalmente, agir sobre eles, a autoconfiança é um dos fatores mais importantes que influenciam o sucesso pessoal. Para aqueles bem versados na filosofia do sucesso de Hill, isso pode parecer questionável. Afinal, "autoconfiança" não é um dos dezessete princípios originais de realização individual apresentados em *A lei do triunfo*, nem é um dos treze passos para a riqueza detalhados em *Quem pensa enriquece*. No entanto, foi o principal requisito do sucesso identificado por Hill em seus primeiros discursos sobre o que ele chamou de "Psicologia Aplicada".

Ministrando um curso no Instituto George Washington, em Chicago, em 1917, Hill compartilhou uma lição que emergiu de sua entrevista com Carnegie, na qual o grande industrial declarou: "Com um forte senso de autoestima, nenhuma quantidade de pobreza pode manter uma pessoa afastada do sucesso. A confiança é um estado de espírito necessário para o sucesso, e o ponto de partida para desenvolver a autoconfiança é a definição de propósito".[3] A experiência de Hill provou que as palavras de Carnegie eram verdadeiras, pois a sua pesquisa inicial revelou que:

> A diferença entre o homem que alcança o sucesso e o homem que não o faz não está necessariamente na capacidade cerebral. Mais frequentemente, a diferença está no uso que os homens fazem de sua habilidade latente... Geralmente aquele que desenvolve e usa todos os seus poderes latentes é um homem que tem muita autoconfiança.[4]

Ele ainda compartilha que "uma análise cuidadosa dos homens mais bem-sucedidos do mundo mostra que a qualidade dominante que todos eles tinham era a AUTOCONFIANÇA".[5] Como ela deve estar presente para controlar os impulsos de pensamento e traduzir a motivação em ação, Hill nomeia a autoconfiança como o principal diferencial entre sucesso e fracasso.

A ausência de autoconfiança, por outro lado, permite que os impulsos de pensamento negativo acessem a mente subconsciente, que então trabalha ativamente contra o desejo de sucesso. Como Hill relata em um artigo de revista de janeiro de 1922: "Aprendemos que os homens são limitados apenas por sua própria falta de autoconfiança e confiança em seus semelhantes".[6] Ele observa ainda que, embora a autoconfiança "seja uma qualidade essencial para todas as realizações que valem a pena... é a qualidade em que a maioria de nós é mais fraca – não é uma fraqueza que muitos de nós reconhecemos, mas ela existe da mesma forma".[7] Sua pesquisa revelou que notáveis 90% das pessoas que ele analisou não tinham autoconfiança, independentemente da capacidade física ou mental. Mesmo aqueles que praticaram o método de sucesso de Hill lutaram com a autocrítica, limitando severamente a eficácia do programa. Hill lamenta que:

> A mesma inteligência que se declara em completa harmonia com essa filosofia muitas vezes procede da mesma maneira com suas autocríticas, provando assim que nunca levou a lição para casa. Em suma, a grande massa da humanidade parece contentar-se em ser atirada de um lado para o outro com o impedimento do pensamento, em vez de fazer o esforço necessário para afirmar o 'eu' e conhecer seu poder divino.[8]

O próximo capítulo explora por que a dúvida e a insegurança são os estados dominantes nos quais a humanidade opera nos dias atuais. Mas, por enquanto, basta dizer que a falta de autoconfiança é uma das maiores doenças do mundo de hoje, responsável pelo desamparo desenfreado, pela falta de autocontrole, pela procrastinação e pelo desespero que caracterizam a sociedade moderna.

Dado seu impacto na realização individual, por que, então, Hill não nomeia a autoconfiança como um dos princípios fundamentais do sucesso? Don M. Green, diretor-executivo e CEO da Fundação Napoleon Hill, fornece uma pista quando observa que Hill mais tarde classificou a autoconfiança na categoria mais ampla de entusiasmo, que ele originalmente designou como o segundo requisito para o sucesso.[9] Certamente, a autoconfiança impulsiona o entusiasmo, mas também está ligada a outros princípios. Por exemplo, a fórmula dos cinco passos de Hill para usar a autossugestão para aumentar a confiança é chamada de "Fórmula da Autoconfiança".[10] Isso acontece porque a autoconfiança é tanto a entrada quanto a saída no programa de sucesso de Hill: você deve construir sua fé em si mesmo (entrada/*input*) para se tornar mais autossuficiente e bem-sucedido (saída/*output*). Em outras palavras: "Para se tornar um participante ativo da Filosofia do Sucesso, você deve primeiro ter a atitude mental adequada que conduza à utilização dos outros princípios remanescentes da realização"[11] – uma atitude mental positiva, com certeza, mas voltada principalmente para si mesmo, sua capacidade e as riquezas que aguardam sua apropriação.

Primeiro requisito para o sucesso na filosofia de realização original de Hill e a culminação dos esforços de alguém para obter riquezas, a autoconfiança é um ingrediente muito importante para uma vida bem-sucedida e satisfatória. Como Hill informou a seus alunos no Instituto George Washington: "Você nunca desfrutará de uma felicidade maior do que aquela que experimentará por meio do desenvolvimento da autoconfiança".[12] Aqueles que não a têm devem trabalhar diligentemente para cultivá-la, ou correm o risco de passar a vida inteira à deriva e insatisfeitos. Os 10% que a têm devem se proteger de influências internas e externas que ameaçam prejudicá-la. Nas palavras de Emerson, deve-se "aprender a detectar e observar aquele brilho de luz que cintila em sua mente a partir de dentro, mais do que o brilho do firmamento de bardos e sábios".[13]

Seja qual for a sua razão para ler este livro, você descobrirá benefícios imediatos da aplicação de seus princípios. Observe que, sem dúvida, você verá seu progresso ampliado ao trabalhar com este conteúdo no ambiente de um clube de leitura ou grupo de estudo, em que o princípio do MasterMind pode ser aplicado para alcançar ordens de pensamento de nível superior. Quando você se comprometer a praticar os passos descritos neste livro, certamente se abrirá para um grande crescimento pessoal e um impulso para alcançar os seus sonhos.

O homem é tímido e se desculpa; ele não é mais categórico; ele não ousa dizer “eu acho”, “eu sou”, mas cita algum santo ou sábio.

– Ralph Waldo Emerson, “Autossuficiência”

PONTOS-CHAVE

- Para aumentar o seu sucesso, você deve elevar os seus pensamentos – especialmente os pensamentos que tem sobre si mesmo.

- A autoconfiança é a chave para atrair mais oportunidades, ganhar influência, desfrutar de melhores relacionamentos e experimentar maior paz de espírito.

- Embora 90% dos indivíduos não tenham esse ingrediente essencial para o sucesso, as pessoas podem não estar cientes disso, porque assumem incorretamente que a baixa autoestima é o único sintoma. Outros sintomas podem incluir:

  - ✓ esgotamento (*burnout*)
  - ✓ descontentamento
  - ✓ comportamento errático
  - ✓ procrastinação
  - ✓ falta de propósito
  - ✓ passividade

- Como o primeiro requisito para o sucesso, a autoconfiança é a espinha dorsal da filosofia de sucesso de Hill. Hill acabou agrupando-a com o entusiasmo, mas ela está ligada a todos os princípios da realização individual.

- O crescimento pessoal e o impulso para a realização serão seus quando você...

DESENVOLVER UM ESTADO DE ESPÍRITO PARA SE COMPROMETER COM O CRESCIMENTO

- Analise a lista de sintomas de baixa autoconfiança fornecida nos pontos-chave listados. De quais desses você sofre atualmente? Você está experimentando outros sintomas que podem estar relacionados à baixa autoconfiança? Reserve algum tempo para registrar em um diário qualquer relação que você possa identificar entre suas ações, experiências e maneira de ser. Alguma conexão o surpreendeu?

- Acabou o tempo da dúvida, da insegurança sobre si mesmo e da autocrítica. Você é digno de felicidade e sucesso. Olhando para o seu reflexo no espelho, aponte o dedo para a pessoa que você vê e diga a ela – em voz alta – que ela é capaz e merecedora de prosperidade e alegria.

- Compartilhe os resultados de sua autoanálise no contexto de um grupo de estudo. Incentive os membros a compartilhar sobre como a falta de autoconfiança pode estar limitando seu potencial e impedindo-os de alcançar seu desejo principal. Comprometa-se em grupo a trabalhar com os conceitos e as estratégias detalhados neste livro para ampliar os resultados de todos.

1

Um homem sem autoconfiança é como um navio sem leme: ele perde o seu tempo sem se mover na direção certa.

– Napoleon Hill, "O que aprendi ao analisar dez mil pessoas"

O QUE É AUTOCONFIANÇA?

A AUTOCONFIANÇA é muito mais do que uma qualidade ou característica; é um estado de espírito. Hill fornece uma definição esclarecedora:

O que é autoconfiança? Vou dizer a você o que é: é a pequena janela de vidro através da qual você pode olhar e ver a verdadeira força de trabalho dentro de seu corpo. Autoconfiança é autodescoberta – descobrir quem você é e o que você pode fazer. Ela é o banimento do medo. É a aquisição de coragem mental. É o acender da luz da inteligência humana por meio do uso do bom senso.[14]

A autoconfiança não é vaidade ou o subproduto de um ego inflado. É a lente através da qual podemos nos ver *como realmente somos*: seres humanos incríveis e capazes com potencial ilimitado de grandeza.

Embora a nossa visão seja muitas vezes turvada pela escuridão de dúvidas, medos e autocríticas, não devemos confundir essa visão desorganizada com a realidade. Limpando a sujeira que o mundo depositou em nosso senso de identidade, devemos aprender a fundamentar os nossos pensamentos na confiança para que possamos fazer progressos significativos em nossa jornada de sucesso e desfrutar da liberdade que a paz de espírito traz. Somos chamados a nos engajar no profundo trabalho de autodescoberta para construir nossa autoestima, identificando dons individuais e determinando como podemos usá-los para melhorar a nossa própria vida e a dos outros.

A autoconfiança é muito mais do que uma qualidade ou característica; é um estado de espírito.

Uma vez reconhecido que, em nossos pensamentos, já temos recursos inestimáveis e inesgotáveis para transformar nossos sonhos em realidade, podemos cultivar uma fortaleza mental que garanta que a adversidade não nos impeça de alcançar o nosso objetivo principal definido.

Se você tem autoconfiança, muitas coisas naturalmente funcionam a seu favor. Acreditar em si mesmo e em sua capacidade de obter sucesso em tudo o que deseja é um bem inestimável que não tem preço. Saber que você tem uma atitude inata de 'eu posso fazer' o impede de aceitar o fracasso como parte de sua composição genética ou de seu destino.[15]

Como sugere Hill, a autoconfiança é uma atitude de "eu posso fazer" que alavanca o entusiasmo, a fé e uma atitude mental positiva para apoiar a iniciativa pessoal. É a mentalidade por meio da qual encontramos as sementes da oportunidade, mesmo nos momentos mais difíceis.

Com autoconfiança,

você vai realizar mais, PORQUE OUSARÁ EMPREENDER MAIS! Você perceberá, possivelmente pela primeira vez na vida, que tem a capacidade de realizar qualquer coisa que DESEJA REALIZAR!

Você perceberá quão pouco o seu sucesso em qualquer empreendimento dependerá dos outros e o quanto dependerá de você![16]

Quando você reconhece que não é impotente para mudar as suas circunstâncias – que, independentemente de seus recursos materiais, você tem um ativo inestimável em seus pensamentos que pode ser direcionado para alcançar exatamente o que deseja na vida –, a sua motivação e a sua capacidade de realização vão melhorar muito. Parafraseando William Ernest Henley, você perceberá que só você – e mais nada nem ninguém – é o mestre de seu destino e o capitão de sua alma.[17] Em seu ensaio "Autossuficiência", Emerson oferece um conselho semelhante:

Confie em si mesmo: cada coração vibra com essa corda de aço. Aceite o lugar que a providência divina tem para você, a sociedade de seus contemporâneos, a conexão dos acontecimentos. Os grandes homens sempre o fizeram e confidenciavam-se como crianças ao gênio de sua época, contrariando sua percepção de que o absolutamente confiável estava assentado em seu coração, trabalhando por suas mãos, predominando em todo o seu ser. E agora somos homens e devemos aceitar na mente mais elevada o mesmo destino transcendente; e não menores e inválidos em um canto protegido, não covardes fugindo de uma revolução, mas guias, redentores e benfeitores, obedecendo ao esforço do Todo-Poderoso e avançando sobre o caos e as trevas.[18]

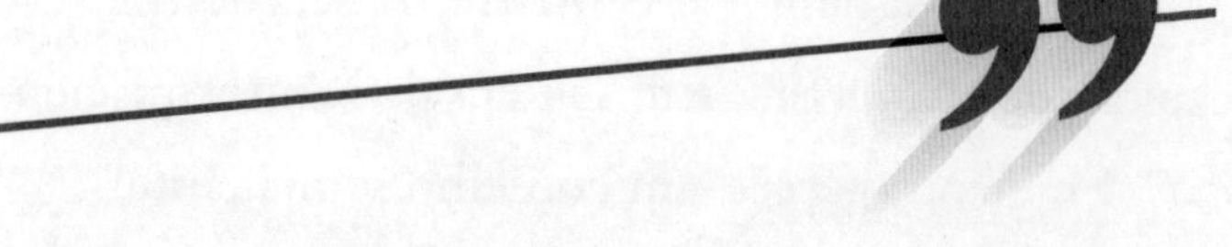

Seu destino transcendente espera por você, mas você deve aprender a valorizar e confiar em si mesmo para agir com ousadia em seu propósito principal definido – aquela corda de aço que vibra profundamente dentro de você, como em um clavicórdio, estruturando seus desejos, interesses e objetivos. Seu poder na vida deriva de seu senso de si mesmo – a apreciação de suas capacidades únicas e seus esforços para desenvolvê-las alinhados com o seu propósito principal. Assim, ao se envolver com a autocrítica ou evitar completamente a autoanálise, você abre mão de seu poder sobre o caos e o fracasso.

OS INIMIGOS DA AUTOCONFIANÇA

As metáforas musicais de Emerson na citação apresentada nos permitem apreciar as dimensões físicas da filosofia de sucesso de Hill. Explicando que nossos pensamentos são feitos de vibrações que, embora invisíveis, criam mudanças no mundo material, Hill enfatiza a importância de direcionar esses pensamentos para fins construtivos. Como ele teoriza, "o éter é preenchido com uma forma de poder universal que se adapta à natureza dos pensamentos que mantemos em nossas mentes; e nos influencia, de maneira natural, a transmutar nossos pensamentos em seu equivalente físico".[19] Assim como a corda de um instrumento vibra de acordo com a afinação, os impulsos de pensamento dos humanos são vibrações cuja frequência depende do tom em que foram afinados. Se os nossos impulsos de pensamento estiverem sintonizados com tons negativos, como crenças limitantes e medos, eles se harmonizarão com outras energias negativas na atmosfera. Por outro lado, quando os nossos pensamentos se alinham com a corda de aço do nosso objetivo principal definido e estão focados na certeza do nosso sucesso, experimentamos a eufonia da ressonância produtiva.

Para a maioria das pessoas, a falta de autoconfiança as impede de alavancar o poder dos seus impulsos de pensamento. Essa baixa autoestima resulta de três elementos inter-relacionados: preocupação, desesperança e medo. Na raiz desses estados mentais está a programação que recebemos de nosso ambiente. Como Emerson diz: "A sociedade em todos os lugares está conspirando contra a maturidade de cada um de seus membros".[20] Colocando de outra forma: a sociedade não apoia o amadurecimento dos indivíduos porque não incentiva a liberdade de pensamento ou a independência na ação. Em vez de motivar homens e mulheres a agir com ousadia em seu objetivo principal definido, torna-os passivos e sem objetivo. Hill ressalta essa triste realidade quando declara:

A grande maldição desta era é o MEDO ou a FALTA DE AUTOCONFIANÇA! Com esse mal removido... você se verá se transformando rapidamente em uma pessoa com FORÇA e INICIATIVA! Você se verá rompendo as fileiras daquela grande massa que chamamos de SEGUIDORES, na qual você esteve flutuando, e subindo para a primeira fila daqueles poucos selecionados que chamamos de LÍDERES!

A LIDERANÇA SÓ VEM POR MEIO DA CRENÇA SUPREMA EM SI MESMO, E AGORA VOCÊ SABE COMO DESENVOLVER ESSA CRENÇA![21]

O medo inspira passividade e diminui a iniciativa pessoal. Quando essa passividade concede às influências negativas do nosso ambiente o acesso à nossa mente subconsciente, nos vemos arrastados por uma corrente que nos afasta cada vez mais de nosso objetivo principal definido. Hill pergunta:

> Que medo estranho é esse que entra na mente dos homens e causa um curto-circuito em sua abordagem a esse poder secreto interior, e quando é reconhecido e usado eleva os homens a grandes alturas de realização? Como e por que a grande maioria das pessoas se torna vítima de um ritmo hipnótico que destrói a sua capacidade de usar o poder secreto de sua própria mente? Como quebrar esse ritmo?[22]

A Força Cósmica do Hábito, o princípio natural referido nessas linhas, pode funcionar para o bem ou para o mal, dependendo se os pensamentos replicados são construtivos ou destrutivos. Nossa vulnerabilidade à negatividade dos outros e às ideias equivocadas produz os mesmos resultados que a hipnose: nos tornamos embalados em um estado de desamparo e comportamento autodestrutivo, o que, por sua vez, permite que pensamentos destrutivos se incorporem em nossa mente subconsciente e trabalhem em conjunto com ela para se tornarem realidade. Como o ritmo hipnótico, quando mal utilizado, fortalece a consciência de fracasso e mina a autoconfiança, Hill ordena "manter o MEDO longe da mente consciente, assim você manteria o veneno fora de sua comida, pois é a única barreira que ficará entre você e a autoconfiança".[23]

Dois dos "seis medos básicos" mencionados por Hill são particularmente prejudiciais à autoconfiança: o medo da pobreza e o medo da crítica.[24] Isso porque, além de ser um estado de espírito, a autoconfiança é um músculo: nós a fortalecemos por meio do exercício, que vem na forma de fé ativa em nossas habilidades, nossos valores e nossos planos. Quando permitimos que o medo dirija os nossos pensamentos, nossa autoconfiança muscular se atrofia. Temendo o fracasso e a rejeição, evitamos contrariar as opiniões dominantes ou tomar decisões que possam "balançar o barco". Permitimos que os outros controlem a percepção que temos de nós mesmos e do mundo ao nosso redor.

O medo e a preocupação também nos impedem de reconhecer que "todo fracasso traz consigo a semente de um sucesso equivalente".[25] Quando o nosso estado de espírito é de medo e preocupação, permitimos o poder do fracasso sobre nosso futuro, em vez de usá-lo como um catalisador para o crescimento e o progresso. Com certeza, o fracasso "destrói o moral, destrói a autoconfiança, subjuga o entusiasmo, entorpece a imaginação e afasta as definições de propósito".[26] No entanto, a maioria das experiências que percebemos como fracasso é apenas derrota temporária disfarçada de fracasso; estabelecemos a derrota como fracasso quando a aceitamos. Ver a adversidade como oportunidade em vez de derrota nos permite construir nossa resiliência, autossuficiência e, portanto, autoconfiança. Ao destruir a nossa fé, o medo e a preocupação nos fazem afundar na desesperança.

Ceder às influências negativas em nosso ambiente – permitindo que elas criem raízes em nossa mente e diminuam o nosso senso de identidade – não apenas nos leva a aceitar a derrota temporária como definitiva, mas também destrói a nossa capacidade de tomar decisões e agir para criar uma mudança positiva em nossa vida. "Todas as decisões exigem coragem", ou a autoconfiança nas próprias habilidades para lidar com as consequências de nossas escolhas.[27] A indecisão é o estado geral da humanidade, razão pela qual tão poucos vivem todos os sonhos que têm para si mesmos. A fim de desenvolver autoconfiança, como descobriremos no restante do livro, devemos tomar medidas decisivas.

Você está agora na jornada para uma vida confiante e com propósito. Com o apoio dos princípios descritos nos capítulos seguintes, encontrará segurança no poder de seu objetivo principal definido e as ferramentas para criar uma mentalidade preparada para identificar e aceitar as oportunidades que o aguardam.

PONTOS-CHAVE

- A autoconfiança é muito mais do que uma qualidade ou característica. Ela é...

  ✓ um estado de espírito por meio do qual encontramos oportunidades
  ✓ uma atitude de "eu posso fazer" que apoia a iniciativa pessoal
  ✓ um músculo que deve ser exercitado para manter a força
  ✓ a corda de aço na qual o seu eu autêntico vibra

- Quando sintonizamos canais negativos de pensamento, saímos do alinhamento com o nosso propósito principal definido.

- A autoconfiança é diminuída por preocupação, desesperança e medo – particularmente o medo da crítica e o medo da pobreza. Temendo a rejeição e o fracasso, permitimos que os outros controlem a percepção que temos de nós mesmos e do mundo ao nosso redor.

- Ver a adversidade como oportunidade em vez de derrota nos permite construir nossa resiliência, autossuficiência e, portanto, autoconfiança.

- Você terá uma vida confiante e com propósito quando...

DESENVOLVER UM ESTADO DE ESPÍRITO PARA SUPERAR O MEDO

- Reserve algum tempo para explorar as seguintes questões: qual é o seu objetivo principal definido? O que é essa corda de aço na qual vibra todo o seu ser? Você está vivendo atualmente em alinhamento com isso? Se não, em quais impulsos de pensamento você está sintonizado atualmente? Faça um diário sobre duas mudanças que você poderia fazer em sua vida agora para se conectar mais profundamente com o seu objetivo principal definido.

- O medo é a emoção negativa mais prejudicial à sua autoconfiança. Crie o hábito de aplicar emoções positivas aos seus pensamentos para que não haja espaço em sua mente para o medo, pois, como observa Hill, "As emoções positivas e negativas não podem ocupar a mente ao mesmo tempo".[28] Aplique as seguintes emoções aos pensamentos – falados em voz alta – afirmando a sua capacidade de atingir seu objetivo principal definido:

- ✓ desejo
- ✓ confiança
- ✓ amor
- ✓ excitação
- ✓ entusiasmo
- ✓ fascínio
- ✓ esperança

🗝 Ensaie essas afirmações até que você possa manter seu desejo principal em sua mente sem que nenhuma emoção negativa se ligue a ele.

🗝 No contexto de um grupo de estudos, compartilhe o seu objetivo principal definido e as emoções positivas que você experimenta ao concentrar os pensamentos nele. Discuta também as influências e emoções negativas que estejam destruindo a sua confiança em sua capacidade de realizá-lo. Como grupo, ajudem-se mutuamente a desmascarar os mitos e equívocos que estejam restringindo o progresso e limitando a alegria.

2

Estamos no colo de uma imensa inteligência, que nos torna receptores de sua verdade e órgãos de sua atividade.

– Ralph Waldo Emerson, "Autossuficiência"

OBTENDO PODER POR MEIO DO SEU CÍRCULO ÍNTIMO

Uma razão pela qual tantos indivíduos falham em reivindicar a abundância reservada para eles é que desenvolveram um complexo de inferioridade, uma compreensão incorreta de si mesmos como "menos que" outras pessoas – menos capazes, menos valiosos e, portanto, menos merecedores. Nenhuma crença poderia estar mais longe da verdade.

Nenhum ser humano é maior que outro. Nessa mesma linha, a trajetória de vida de uma pessoa não é determinada pelas vantagens ou desvantagens com as quais ela nasceu. Independentemente do conjunto de habilidades, conhecimento, educação e situação financeira, qualquer indivíduo pode alcançar o sucesso – se criar um ambiente que aumente o seu potencial.

RECONCEITUALIZANDO A EDUCAÇÃO

Alguns indivíduos com complexo de inferioridade usam a falta de estudo formal como álibi para a sua falta de objetivo. Mas, como Hill frequentemente aponta, o tipo de conhecimento dado formalmente nas escolas – *conhecimento geral* – não é particularmente útil para criar sucesso. Somente o *conhecimento especializado* – conhecimento organizado e dirigido para um fim definido – torna-se poder e pode ser adquirido por meios fora da escola formal. Hill lista cinco fontes primárias de conhecimento especializado:

1. Experiência pessoal e estudo formal anterior.
2. A experiência e a educação dos outros (seu grupo idealizador – seu grupo de MasterMind).
3. Colégios e universidades.
4. Bibliotecas públicas.
5. Cursos de treinamento especializado.[29]

Os diplomas por si sós "representam nada além de conhecimento variado", mas, se o conhecimento especializado for necessário para cumprir o seu objetivo principal definido, então você poderá pesquisar os locais de conhecimento listados anteriormente para obter informações confiáveis.[30] Para aumentar o seu conhecimento especializado, Hill recomenda os seguintes passos:

1. Identifique as lacunas em seu conhecimento.
2. Determine a finalidade para a qual você deseja o conhecimento.
3. Descubra onde ele pode ser obtido de fontes confiáveis.[31]

Complementar o seu conhecimento por esses meios pode aumentar a sua autoconfiança, incentivando-o a erguer a cabeça o suficiente para ter a oportunidade de se ver e de se reconhecer. Além disso, quando você se compromete a desenvolver os seus recursos mentais por meio de crescimento pessoal e estudo contínuos, pode resistir à tentação de se tornar complacente dentro de seus limites e encontrar a motivação para continuar progredindo na escada em direção ao sucesso.

Como o conhecimento está prontamente disponível em outros lugares que não apenas instituições formais de aprendizado, as pessoas nunca devem se sentir limitadas por não terem certo grau ou certificação. Uma pessoa verdadeiramente educada, diz Hill, "é aquela que desenvolveu as faculdades de sua mente de tal maneira que pode adquirir qualquer coisa que queira, ou equivalente, sem violar os direitos dos outros".[32] Reconheça que qualquer conhecimento que lhe falte pode ser obtido por meios alternativos. Como Hill confirma: "Qualquer homem é educado se souber onde obter conhecimento quando precisar e como organizar esse conhecimento em planos de ação definidos".[33]

A educação não se refere ao que você sabe; trata-se da capacidade de encontrar o que você tem que saber quando precisar.

FORÇA EM NÚMEROS: O PRINCÍPIO DO MASTERMIND (MENTE MESTRA)

Além de consultar locais adicionais de conhecimento especializado, você pode usar o princípio do MasterMind para desmantelar um complexo de inferioridade resultante da falta de estudo formal ou de uma lacuna na especialização. Esse princípio afirma que "o esforço organizado é produzido pela coordenação do esforço de duas ou mais pessoas, que trabalham para um fim definido, em espírito de harmonia".[34] O poder é simplesmente conhecimento organizado e esforço coordenado, duas características de um grupo idealizador. Ao aliar-se a indivíduos cujo conhecimento especializado complementa – não replica – o seu, você pode aumentar o seu poder e a sua autoconfiança. Pois, como Hill afirma: "Os homens assumem a natureza, os hábitos e o PODER DO PENSAMENTO daqueles com quem se associam em espírito de simpatia e harmonia".[35]

Henry Ford conhecia o valor do princípio do MasterMind. Ele tinha menos que uma educação de sexta série, e mesmo hoje ninguém ousaria questionar sua inteligência ou capacidade. Mas, em 1916, o seu conhecimento foi literalmente posto em julgamento. Um jornal de Chicago o rotulou de "pacifista ignorante" em um editorial, e, em resposta, Ford processou o jornal por difamação. Durante o julgamento, ele foi inquirido sobre uma série de questões de História na tentativa de provar a sua ignorância – muitas das quais ele não conseguiu responder. Irritado com a irrelevância da linha de questionamento, Ford declarou que, com um telefonema, seria capaz de encontrar a resposta para qualquer pergunta que lhe fizessem, porque tinha parceiros e aliados que poderiam fornecer as informações que fugiam do alcance de sua perícia.

Ford não sentia vergonha das lacunas em seu conhecimento; em vez disso, ele as via como pontos fortes. Seu foco apurado e claro nas informações mais necessárias para suas atividades o impedia de encher a mente com conhecimento que poderia encontrar em outro lugar. Contanto que ele soubesse exatamente onde poderia obter as informações de que precisava no momento certo, nunca seria impedido por sua suposta ignorância. De acordo com Hill, "cada pessoa no tribunal percebeu que era a resposta não de um homem ignorante, mas de um homem de EDUCAÇÃO... Por meio da assistência de seu grupo de MasterMind,

Henry Ford tinha sob seu comando todos os conhecimentos necessários para capacitá-lo a se tornar um dos homens mais ricos da América".[36]

Andrew Carnegie também compreendeu os benefícios do princípio do MasterMind, citando-o como uma de suas principais razões para o sucesso. Embora não soubesse nada sobre a parte técnica do negócio do aço – aliás, nem queria saber nada sobre isso –, ele adquiriu o conhecimento especializado necessário para fabricar e comercializar aço, por meio dos membros de sua aliança de MasterMind. Isso fica evidente nestes dois exemplos:

> Você não deve ter complexo de inferioridade simplesmente porque não tem todo o conhecimento especializado necessário sobre o serviço ou produto com o qual pretende trabalhar para sua fortuna. Se você precisar ou desejar mais, pode desenvolvê-lo por meio de seu grupo de MasterMind.[37]

Formar um grupo de MasterMind é fundamental para superar as suas fraquezas e aprimorar os seus pontos fortes, aumentando o poder pessoal e a capacidade de transformar os seus desejos em realidade.

RETIRANDO OS CRÍTICOS DO SEU CÍRCULO ÍNTIMO

Um grupo de MasterMind irá apoiá-lo em seus empreendimentos profissionais, mas você também precisa de uma rede de apoio em sua vida pessoal. Grande atenção deve ser dada à forma como você constrói o seu círculo íntimo, porque esse grupo de indivíduos afeta profundamente a sua autoconfiança. Como Hill explica: "A maioria das pessoas permite que parentes, amigos e o público em geral as influenciem de tal maneira que elas não podem viver a própria vida, porque temem as críticas".[38] Mesmo aquelas com uma opinião positiva de si mesmas estão sujeitas aos efeitos deletérios dos opositores. Hill explica:

Se cada pessoa que você encontrasse hoje lhe dissesse que você parece doente, você teria que consultar um médico antes do final do dia. Se as próximas três pessoas com as quais você falasse hoje lhe dissessem que você parece doente, você começaria a se sentir mal.

Por outro lado, se cada pessoa que você encontrasse hoje lhe dissesse que você é agradável, isso o influenciaria a acreditar em si mesmo. Se o seu chefe o cumprimentasse todos os dias e dissesse que você está fazendo um excelente trabalho, isso faria com que você acreditasse em si mesmo. Se os seus colegas de trabalho lhe dissessem todos os dias que você está desempenhando as suas tarefas cada vez melhor, isso faria com que você tivesse mais confiança em si mesmo.[39]

Tal como acontece com os pensamentos que plantamos intencionalmente em nosso subconsciente, os pensamentos que captamos em nosso ambiente se incorporam em nossa psique, prejudicando o nosso senso de identidade. Como será explorado mais adiante, no Capítulo 5, esse processo começa na infância, quando somos instruídos por familiares e parentes próximos a desenvolver não a autoconfiança, mas medos e limitações. De acordo com Hill, "Muitas pessoas se recusam a estabelecer metas altas para si mesmas, ou até negligenciam a escolha de uma carreira, porque temem as críticas de parentes e 'amigos' que podem dizer 'Não mire tão alto, as pessoas vão pensar que você é louco'".[10]

Muitas vezes, as críticas e advertências que recebemos vêm de indivíduos bem-intencionados, mas a motivação importa menos do que o impacto nesse caso. Carregamos o fardo da crítica conosco até a adolescência e a idade adulta, nunca arriscando os nossos sonhos porque operamos com uma mentalidade de fracasso e tememos o ridículo perante nossos amigos e entes queridos. Internalizando a negatividade que recebemos de nosso círculo íntimo, cumprimos as baixas expectativas dos outros sobre nós mesmos, aceitando a mediocridade em vez de agir com ousadia em nosso objetivo principal definido.

Mesmo com a base firme de autoestima fornecida a ele por sua madrasta, Hill às vezes lutava com esse ciclo destrutivo de baixa autoconfiança e inação decorrente do medo da crítica. Assim ele compartilha:

"

Quando Andrew Carnegie sugeriu que eu dedicasse vinte anos à organização de uma filosofia de realização pessoal, meu primeiro pensamento foi o medo do que as pessoas poderiam dizer. A sugestão estabeleceu uma meta para mim, muito desproporcional a qualquer outra que eu já tivesse concebido. Tão rápido quanto um relâmpago, a minha mente começou a criar álibis e desculpas, todos atribuídos ao MEDO DA CRÍTICA. Algo dentro de mim dizia: 'Você não pode fazer isso, o trabalho é muito grande e requer muito tempo; o que os seus parentes vão pensar de você? Como você vai ganhar a vida? Ninguém jamais organizou uma filosofia de sucesso, que direito você tem de acreditar que pode fazê-lo? Quem é você, afinal, para sonhar tão alto? Lembre-se de sua origem humilde. O que você sabe sobre filosofia? As pessoas vão achar que você é louco (e realmente acharam). Por que ninguém fez isso antes?"[41]

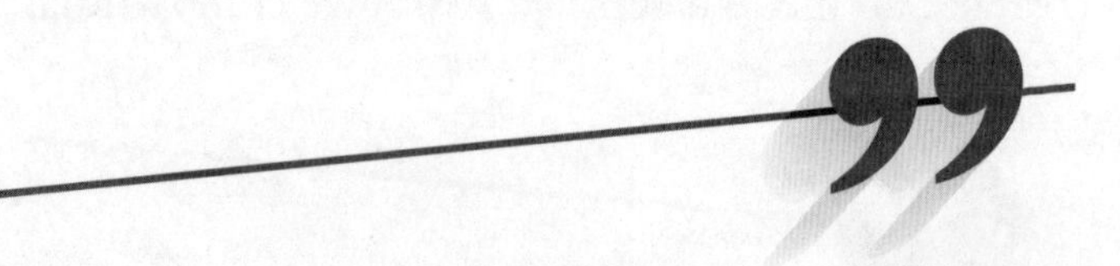

As preocupações de Hill revelam como a autoconsciência sobre a sua origem humilde – em uma cidade montanhosa de Wise County, Virgínia, onde o analfabetismo e a insolvência eram a norma –, combinada com o medo das críticas de seu círculo íntimo, poderiam ameaçar destruir seus sonhos antes que ele sequer agisse.

Certamente todos nós experimentamos um diálogo interior autodestrutivo semelhante a esse. Em um momento ou outro, provavelmente fizemos essa mesma pergunta para nós mesmos: "Quem você pensa que é?", ao vislumbrar uma vida de prosperidade. Lembrando como nossa família reagiu de forma negativa ou incrédula aos nossos objetivos elevados, mantemos o *status quo* e "entramos na linha" em vez de traçar um novo curso para a abundância. O medo da crítica de nosso círculo íntimo é tão destrutivo que "rouba do homem sua iniciativa, destrói o seu poder de imaginação, limita a sua individualidade, tira a sua autoconfiança e o prejudica de centenas de outras maneiras".[42] Leva a inibição, falta de equilíbrio, personalidade fraca, indecisão, falta de iniciativa, falta de ambição, complexo de inferioridade e muitos outros males.

Embora não possamos escolher os nossos pais, irmãos e, até certo ponto, nossos chefes e colegas de trabalho, podemos combater sua negatividade filtrando as informações que recebemos deles e reunindo um círculo íntimo que nos apoie na busca de nosso objetivo principal definido. Tal como acontece com o nosso grupo de MasterMind, devemos procurar indivíduos que tenham uma atitude mental positiva, que não vejam a derrota como definitiva e encorajem a liberdade de pensamento. Quando nos cercamos de pessoas que nos incentivam em nossa jornada de sucesso porque acreditam em nossas habilidades, a nossa autoconfiança se multiplica exponencialmente; pois "todos precisamos de alguém que acredite em nós e nos encoraje".[43]

Com a ajuda de um grupo de MasterMind e de um círculo íntimo edificante, podemos superar o nosso complexo de inferioridade e atrair mais inspiração e oportunidades para nossa vida. Mas, embora o apoio dos outros seja importante, o sucesso final depende de nossa própria confiança em nossa capacidade de alcançar o objetivo principal definido. Como escreve Hill: "Acredite em si mesmo se quiser que os outros acreditem em você. Espere o seu sucesso se deseja que os outros esperem isso de você. O mundo aceita você conforme a sua própria estima, sua própria avaliação, portanto, tenha-se em alta conta".[44]

PONTOS-CHAVE

- Nenhum ser humano é mais merecedor de sucesso ou felicidade do que outro.

- Um complexo de inferioridade é como um espelho embaçado: limpe-o e você poderá se ver como realmente é. Reconheça que você não é definido por...

  - ✓ sua criação
  - ✓ sua educação
  - ✓ sua experiência

- Qualquer indivíduo pode alcançar o sucesso se criar um ambiente que amplie o seu potencial. Os dois principais meios de ampliar o crescimento pessoal e profissional são 1) engajar-se em leitura e treinamento contínuos e 2) refinar o seu círculo íntimo (tanto o seu grupo de MasterMind quanto as suas relações pessoais próximas).

O-- O **conhecimento geral** – ou o aprendizado adquirido nos livros – não contribui automaticamente para o sucesso. Somente o **conhecimento especializado** – ou o conhecimento organizado e dirigido para um fim específico – torna-se poderoso. Existem cinco fontes primárias para adquirir conhecimento especializado:

✓ experiência pessoal e estudo formal anterior
✓ a experiência e a educação dos outros (seu grupo de MasterMind)
✓ colégios e universidades
✓ bibliotecas públicas
✓ cursos de treinamento especial

O-- A educação não se refere ao que você sabe; trata-se da capacidade de encontrar o que você tem que saber quando precisar. Aumente o seu conhecimento especializado...

✓ identificando as lacunas em seu conhecimento

✓ determinando a finalidade para a qual você deseja o conhecimento

✓ descobrindo onde ele pode ser obtido de fontes confiáveis

🗝 Crie um grupo de MasterMind convidando indivíduos cujas habilidades, conhecimento e experiência complementam – não replicam – os seus, que incentivam a liberdade de pensamento e não aceitam a derrota temporária como definitiva.

🗝 Faça o que puder para eliminar os críticos e opositores do seu círculo íntimo. Até mesmo piadas podem plantar em nosso subconsciente pensamentos destrutivos que trazem o fruto da baixa autoconfiança.

🗝 O apoio dos outros é importante, mas o elemento mais crítico é a crença em si mesmo. O mundo esperará grandeza de você somente quando você antecipar a grandeza para si mesmo.

- Você terá uma rede de apoio e conhecimento especializado quando...

DESENVOLVER UM ESTADO DE ESPÍRITO PARA OBTER PODER

- Se você tem complexo de inferioridade, faça uma autoanálise para identificar as suas fraquezas percebidas. Reflita se é realmente deficiente nessas áreas e, se for, faça um plano para aumentar o seu conhecimento especializado usando as etapas descritas anteriormente.

- Avalie a qualidade do apoio que está recebendo das diferentes camadas do seu círculo íntimo. Se você tiver um grupo de MasterMind, precisa expandi-lo ou refiná-lo para apoiar o seu crescimento? Se não tiver um, use sua resposta à pergunta acima para identificar membros em potencial e convidá-los a participar. Esteja preparado para compartilhar a sua própria experiência em troca de ajuda. Entre os seus familiares, amigos e colegas, existem indivíduos cuja negatividade diminui a sua crença em si mesmo? Para aqueles que podem ser removidos do seu círculo íntimo, considere passar menos tempo junto. Para aqueles com quem você tem que interagir, como familiares e colegas de trabalho, determine como pode filtrar e redirecionar a energia negativa deles.

- No contexto de um grupo de estudos, compartilhe os seus planos para adquirir conhecimento especializado e construir uma rede de apoio. Troque recomendações para meios adicionais de obtenção de energia por meio dos canais identificados neste capítulo.

3

"Tudo está com você mesmo, tudo depende de você. Nada pode detê-lo se você decidir que irá prosperar."

– Napoleon Hill, "Estrada para o sucesso"

CONDICIONANDO SUA MENTE PARA RECONHECER A OPORTUNIDADE

Embora não possamos controlar completamente o teor de nosso ambiente, podemos determinar o efeito que ele tem em nossa atitude e maneira de ser. Assim, uma das coisas mais importantes que podemos fazer para garantir o nosso sucesso na vida é construir continuamente a nossa autoconfiança. Afinal, "as oportunidades não virão até você a menos que tenha uma percepção sobre si mesmo incrível o suficiente para agarrá-las".[45]

A autoconfiança também é a chave para a nossa capacidade de perseverar em tempos difíceis. Hill revela que "o fracasso é uma circunstância criada pelo homem. Nunca é real até que tenha sido aceito pelo homem como permanente. Dito de outra forma, o fracasso é um estado de espírito, portanto, é algo que um indivíduo pode controlar até que deixe de exercer esse privilégio".[46] O estado de espírito contrário ao fracasso é a autoconfiança. Como Carnegie diz a Hill: "A confiança é um estado de espírito necessário para o sucesso, e o ponto de partida para desenvolver a autoconfiança é a definição de propósito".[47] Este capítulo fornece estratégias específicas para desenvolver um forte senso de autoestima, para que você possa reconhecer melhor as oportunidades e aumentar a sua resiliência.

ORGULHE-SE DE SEU PROPÓSITO E DESEMPENHO

Para aumentar a sua autoconfiança, você deve primeiro fazer uma listagem de seus pontos fortes e contribuições e lembrar-se de seu valor inerente. Como Hill nos instrui:

Não tenha pena de si mesmo. Não diminua o seu próprio valor aos seus próprios olhos. Tenha

confiança em si mesmo. Você é a pessoa mais importante em todo o mundo. Você pode ser o que quiser. Ninguém pode fazer tanto por você quanto você pode fazer por si mesmo. Tudo está com você mesmo, tudo depende de você.[48]

Independentemente de o trabalho que você está realizando atualmente ser louvável aos olhos do mundo ou do tipo que você se imaginou fazendo, desde que não esteja violando os direitos dos outros, você deve encontrar motivos para se orgulhar disso.

Todo o poder de um homem está dentro dele mesmo, e o primeiro dever de um homem é consigo mesmo. Ao cumprir fielmente esse dever, você não pode falhar no objetivo de deixar a sua marca na sociedade em que vive, não pode deixar de elevar o padrão do seu ambiente e dignificar todos ao seu redor.

Você pode ser apenas uma entre centenas ou milhares de outras pessoas trabalhando em uma grande empresa. Suas obrigações e funções imediatas podem parecer monótonas e triviais. Aparentemente não há incentivo para entusiasmo ou orgulho pessoal e profissional. Seja você mesmo e mostre-se. O seu trabalho sempre será o que você quiser que seja - ele sempre será o que você merece. Não se trata do seu trabalho, do seu salário, ou das suas condições ou dos seus clientes potenciais - trata-se de VOCÊ.[49]

Desempenhe o seu trabalho com diligência e entusiasmo, reconhecendo que pequenos esforços se somam para criar grandes resultados ao longo do tempo. Demonstre orgulho em seu trabalho, dedicando a ele toda a sua atenção e investindo em cuidados com sua apresentação pessoal. Observe que isso não é um convite para se tornar complacente e nunca tentar elevar a sua posição; é uma diretriz para dar a cada posição, independentemente de sua conveniência, toda a energia e todo o esforço que puder.

O mundo pede pessoas que pensem bem de si mesmas, o suficiente para se dignificarem cumprindo cada tarefa com eficiência... Há uma posição melhor o esperando, mas você deve mostrar-se digno dela completando o seu trabalho atual de tal forma que a sua habilidade se mostre superada nele. Alguém vai vê-lo e aproveitá-lo.[50]

As oportunidades não surgirão a menos que você tenha uma percepção sobre si mesmo incrível o suficiente para agarrá-las.

Veja o exemplo dado por Edwin C. Barnes, um homem com poucos recursos e sem conexões que tinha um desejo ardente de se tornar sócio de Thomas Edison. Sem recursos financeiros nem para viajar de trem até o laboratório de Edison em Orange, Nova Jersey, Barnes viajou para lá em um trem de carga e declarou a sua intenção de trabalhar com o renomado inventor. Impressionado com a determinação de Barnes, Edison o contratou, mas não como sócio; em vez disso, Edison deu-lhe um trabalho servil, o que teria desencorajado um indivíduo comum. Não Barnes. Ele abordou o trabalho como uma chance de mostrar e desenvolver os seus pontos fortes. E quando surgiu a oportunidade de oferecer os seus serviços como vendedor de um novo dispositivo de escritório que outros achavam difícil vender, Barnes aproveitou. Ele teve tanto sucesso na venda do dispositivo que Edison o convidou para uma parceria para distribuí-lo e comercializá-lo em todo o país. Assim como Barnes aumentou a sua autoconfiança por meio de uma posição de iniciante, qualquer pessoa que tenha prazer e orgulho em seu trabalho e busque continuamente agregar valor a ele encontrará sucesso nas proximidades.

CONSTRUA A CONFIANÇA POR MEIO DA LEI DA AUTOSSUGESTÃO

À medida que fazemos mais que o esperado em nossa posição atual, encontrando valor em nós mesmos dentro e além do nosso trabalho, também devemos condicionar a nossa mente a manter um estado de confiança. Afinal, "somos o que somos por causa das vibrações de pensamento que captamos e registramos por meio dos estímulos do nosso cotidiano".[51] Ao controlar quais estímulos chegam ao nosso subconsciente, protegendo-o de pensamentos destrutivos, possibilitamos que o princípio da autossugestão entre em vigor, levando o subconsciente a encontrar planos práticos para transformar o nosso desejo primário em realidade.

A autoconfiança e a fé estão, assim, completamente entrelaçadas: você deve acreditar em seu valor e sua capacidade para reconhecer não apenas a viabilidade, mas também a *certeza* de seu sucesso; o que lhe falta são apenas os planos adequados para atingir o seu objetivo principal definido. Essa inter-relação explica por que Hill fornece não uma receita para a fé, mas uma fórmula para a autoconfiança.

FÓRMULA DA AUTOCONFIANÇA

Primeiro. Eu sei que tenho a capacidade de alcançar o objetivo do meu Propósito Definido na vida, portanto, EXIJO de mim mesmo uma ação persistente e contínua para a sua realização, e eu, aqui e agora, prometo realizar tal ação.

Segundo. Eu percebo que os pensamentos dominantes em minha mente acabarão se externando fisicamente, e gradualmente se transformarão em realidade, portanto, irei me concentrar por trinta minutos, diariamente, na tarefa de pensar na pessoa que pretendo me tornar, criando assim uma imagem mental clara dessa pessoa.

Terceiro. Eu sei, pelo princípio da autossugestão, que qualquer desejo que eu tenha persistentemente em minha mente acabará por se expressar por algum meio prático para alcançá-lo, portanto, dedicarei dez minutos diários para exigir de mim mesmo o desenvolvimento de AUTOCONFIANÇA.

Quarto. Eu escrevi claramente uma descrição do meu OBJETIVO PRINCIPAL DEFINIDO na vida e nunca deixarei de persegui-lo até que tenha desenvolvido autoconfiança suficiente para alcançá-lo.

Quinto. Eu percebo plenamente que nenhuma riqueza ou posição pode durar muito tempo, a menos que seja construída sobre a verdade e a justiça, portanto, não me envolverei em nenhuma transação que não beneficie todos os envolvidos. Conseguirei atrair para mim as forças que desejo usar e a cooperação de outras pessoas. Vou induzir os outros a me servirem, por causa da minha vontade de servir aos outros. Eliminarei o ódio, a inveja, o ciúme, o egoísmo e o cinismo, desenvolvendo amor por toda a humanidade, porque sei que uma atitude negativa em relação aos outros nunca me trará sucesso. Farei com que os outros acreditem em mim, porque acreditarei neles e em mim mesmo.

Vou assinar o meu nome nesta fórmula, memorizá-la e repeti-la em voz alta uma vez por dia, com plena FÉ de que ela influenciará gradualmente os meus

PENSAMENTOS e as minhas AÇÕES para que eu me torne uma pessoa autoconfiante e bem-sucedida.[52]

Aplicar essa fórmula todos os dias permitirá que você visualize com clareza cada vez maior como será alcançar o seu objetivo principal definido. Quanto mais vívida essa imagem mental se tornar, mais forte será a sua autoconfiança, o que, por sua vez, permitirá que você identifique vantagens que, de outra forma, poderiam passar despercebidas.

> Sem aumentar a sua autoconfiança, você pode não reconhecer ou até ignorar um plano trazido à sua atenção. Mas, com essa fórmula, quando surge uma oportunidade, a sua mente consciente é alertada para o que a sua mente inconsciente foi condicionada a descobrir.[53]

Trata-se de combinar o princípio da autossugestão com o princípio da concentração. O foco intenso em seu objetivo principal definido faz com que o princípio da autossugestão funcione na mente subconsciente, que usa a imagem mental como um modelo para os seus processos. Uma versão anterior da Fórmula da Autoconfiança, derivada das palestras de Hill em 1917, recomenda não apenas escrevê-la e repeti-la em voz alta, mas também empregar a ajuda de um espelho para aumentar os efeitos de sua concentração:

OLHE-SE DIRETAMENTE NOS OLHOS, COMO SE FOSSE OUTRA PESSOA, E FALE COM VEEMÊNCIA!

Se houver algum sentimento de falta de coragem, agite o seu punho na cara daquela pessoa que você vê no espelho e faça com que ela sinta vergonha de si mesma.

Em breve você verá as linhas em seu rosto começarem a mudar de uma expressão de fraqueza para uma de força! Você começará a ver força e beleza nunca antes vistas naquele rosto, e essa transformação maravilhosa será perceptível para os outros.[54]

Com o poder da autossugestão ao seu lado, você logo se tornará a pessoa que pretende ser, sem diminuir o valor da pessoa que você é agora.

Complementar a Fórmula da Autoconfiança com afirmações positivas diárias pode fortalecer a resiliência da mente contra a dúvida e a insegurança sobre si mesmo.

Uma vez que essas afirmações se tornam habituais e fortemente enraizadas em nosso subconsciente, podemos utilizá-las à vontade para nos fortalecer e nos proteger contra qualquer coisa que possa minar a nossa autoconfiança. Muitas vezes, apenas lembrando de um momento em seu passado em que você foi exemplar em sua abordagem a um problema ou agiu de maneira poderosa, você pode evocar esse mesmo sentimento, essa emoção, e revivê-lo para produzir outro resultado positivo.[55]

Ao combinar determinação de propósito, atitude mental positiva, fé, autossugestão e concentração para desenvolver um estado mental perpétuo de autoconfiança, você dará a si mesmo uma tremenda vantagem em todos os seus esforços, tornando o fracasso quase impossível.

PONTOS-CHAVE

🗝 A autoconfiança é contrária ao fracasso. Como Andrew Carnegie define para Hill: "A confiança é um estado de espírito necessário para o sucesso, e o ponto de partida para desenvolver a autoconfiança é a definição de propósito".

🗝 Aumente sua autoconfiança para que você possa reconhecer melhor as oportunidades...

✓ fazendo uma listagem de seus pontos fortes e contribuições

✓ investindo em cuidados com sua apresentação pessoal

✓ indo além

✓ condicionando a sua mente para manter um estado de confiança

🗝 Visualize regularmente a experiência de atingir o seu objetivo principal definido. Quanto mais vívida for a sua imagem mental, mais forte será a sua fé, o que aumentará a probabilidade de seu sucesso.

- Progresso e resiliência serão seus quando você…

1. DESENVOLVER UM ESTADO DE ESPÍRITO PARA RECONHECER A OPORTUNIDADE

- Crie uma lista de seus pontos fortes e contribuições – anote pelo menos dez. Se for muito esforço identificar esse tanto, peça às pessoas do seu círculo íntimo que ajudem a identificar qualidades positivas adicionais. Examine a sua lista diariamente para se lembrar de seu valor.

- Utilize a Fórmula da Autoconfiança reeditada neste capítulo para desenvolver e melhorar a sua autoconfiança. Repita em voz alta uma vez por dia com plena fé de que você influenciará progressivamente os seus pensamentos e as suas ações até atingir o seu objetivo principal definido.

🗝 As afirmações a seguir são boas para você se comprometer com a sua assinatura e colocar diante de si no seu trabalho, onde você e outras pessoas possam vê-las a cada dia. No início, você pode achar difícil viver de acordo com essas afirmações, mas tudo que vale a pena tem algum tipo de preço. O preço da Autoconfiança é o esforço consciente para viver de acordo com essas afirmações.[56]

Eu acredito em mim. Eu acredito em quem trabalha comigo. Eu acredito em meu empregador. Eu acredito em meus amigos. Eu acredito na minha família. Eu acredito que Deus vai prover tudo de que eu preciso para ter sucesso se eu fizer o meu melhor para merecê-lo, por meio de um serviço fiel, eficiente e honesto. Eu acredito em orações e nunca fecharei os meus olhos para me entregar ao sono sem orar por orientação divina para que eu seja paciente com outras pessoas e tolerante com aqueles que não pensam como eu. Eu acredito que o sucesso é o resultado do esforço inteligente e não depende de sorte, práticas duvidosas ou amigos e colegas de trabalho enganadores, ou do meu empregador. Eu acredito que tirarei da vida exatamente o que colocar nela; portanto, eu terei o cuidado de agir com as outras pessoas como eu gostaria que elas agissem comigo. Não vou caluniar aqueles de quem não gosto, não vou menosprezar o meu trabalho, não importa o que eu veja os outros fazendo. Eu prestarei o melhor serviço, darei o melhor de mim, porque me comprometi a ter sucesso na vida e sei que o sucesso é sempre o resultado de um esforço consciente. Por fim, eu vou perdoar aqueles que me ofenderem, porque percebo que, às vezes, vou ofender os outros e precisar do perdão deles.

____

(Assinatura)

No contexto de um grupo de estudos, faça um *brainstorming* e discuta maneiras de ir além em sua carreira. Descreva os projetos atuais nos quais você esteja trabalhando e convide os membros do grupo para fornecer informações sobre possíveis oportunidades de avanço.

4

> Faça a coisa certa e você terá poder.
>
> *– Ralph Waldo Emerson, "Compensação"*

CONSTRUINDO A CONFIANÇA POR MEIO DA AÇÃO

Uma vez que você tenha expandido o seu poder por meio de sua aliança de MasterMind e sua rede pessoal e condicionado a sua mente para operar em um estado de fé, de confiança, você vai encontrar o componente mais crucial para desenvolver a autoconfiança: *ação*. A natureza de seus pensamentos pouco importa, a menos que eles tomem forma como planos organizados e se consolidem em ações. Por meio da ação, você pode erradicar os medos e as dúvidas que ameaçam diminuir a sua autoconfiança e aumentar sua autoestima. Ao agir corajosamente em seu objetivo principal definido, você descobrirá a força inextinguível dentro do núcleo de seu ser, a potência de seus esforços e a sua capacidade de superar os obstáculos.

Durante uma entrevista em 1908, Andrew Carnegie compartilhou com Hill que a autoconfiança era um dos ingredientes mais cruciais para o sucesso. Como ele explicou a Hill, nenhum obstáculo ou desvantagem – pobreza, falta de estudo, ausência de apoio – poderia atrapalhar alguém com um forte senso de autoestima. Assim, a regra fundamental da filosofia de realização pessoal de Carnegie era desenvolver a autoconfiança de uma pessoa, agindo em um plano definido para a realização. Ele afirma:

> O homem que sabe exatamente o que quer, tem um plano definido para isso e está realmente engajado na execução de seu plano logo acredita que tem a capacidade de obter sucesso. O homem que procrastina logo perde a confiança e faz pouco ou nada que valha a pena.[57]

A ação evita ficar à deriva, o que atrai os indivíduos para o caminho da insegurança e do desprezo por si mesmos. Nos sentimos bem conosco quando perseguimos um objetivo nobre. O progresso é realmente revigorante. A cada marco que alcançamos ao longo de nossa jornada de sucesso, experimentamos um sentimento renovado de orgulho e satisfação. Ao comemorarmos as nossas vitórias, ficamos mais seguros em nosso propósito – mais seguros de quem devemos ser. Portanto, é crucial aprendermos a aplicar o nosso poder por meio da ação.

O progresso é realmente revigorante.

TOME UMA ATITUDE E A CONFIANÇA VIRÁ

A inação enfraquece a nossa determinação, esgota os nossos poderes criativos e nos predispõe a duvidar de nós mesmos. Isso porque "a indecisão se cristaliza em DÚVIDA", e "as duas se misturam e se tornam MEDO"![58] A determinação, em contrapartida, aumenta a nossa autoconfiança e eleva a nossa mente a um plano superior de funcionamento, pelo qual nossos pensamentos se tornam mais aptos a atrair inspiração e oportunidade. Como explica Hill:

> Quem toma DECISÕES rápido e definitivamente sabe o que quer e geralmente consegue. Os líderes em todas as esferas da vida DECIDEM rápido e firmemente. Essa é a principal razão pela qual eles são líderes. O mundo tem o hábito de abrir espaço para o homem cujas palavras e ações mostram que ele sabe para onde está indo.[59]

A história do Dr. Frank W. Gunsaulus fornece um excelente estudo de caso da relação entre determinação, ação e autoconfiança. Um jovem clérigo, o Dr. Gunsaulus tinha um desejo enorme de fundar uma instituição educacional que privilegiasse o aprendizado experimental. No entanto, ele enfrentou o obstáculo de arrecadar um milhão de dólares para realizar os seus planos. Dia após dia, durante dois anos, ele refletiu sobre as opções para acumular os fundos necessários para o seu projeto, até que um dia percebeu que precisava passar do pensamento para a ação. Ele conta como a sua decisão de agir aumentou sua autoconfiança:

> No momento em que tomei a decisão definitiva de arrecadar o dinheiro dentro de um prazo determinado, uma estranha sensação de segurança tomou conta de mim, como nunca havia experimentado antes. Algo dentro de mim parecia dizer: 'Por que você não tomou essa decisão antes? O dinheiro estava esperando por você o tempo todo!'.[60]

Assim que estabeleceu um tempo definido para obter o dinheiro, o Dr. Gunsaulus rapidamente encontrou a inspiração para os planos para realizar essa tarefa. Ele entrou em contato com os jornais para informá-los de que pregaria um sermão no dia seguinte sobre "O que eu faria se tivesse um milhão de dólares". Uma vez que fundar tal instituição educacional era o seu maior desejo – o propósito principal definido no qual todos os seus pensamentos estavam focados –, ele não teve nenhum problema em redigir o sermão; vinha ensaiando isso em sua mente nos últimos dois anos. Ele orou com confiança para que alguém na plateia se mobilizasse para fornecer a quantia necessária. Com total certeza de que a sua oração seria ouvida, o Dr. Gunsaulus fez um discurso poderoso que detalhou os seus planos para organizar uma escola onde os alunos adquiririam conhecimento prático e, ao mesmo tempo, aprenderiam a desenvolver a mente. Assim que concluiu o seu sermão e se sentou, o Dr. Gunsaulus foi abordado por um homem chamado Phillip D. Armour, que o convidou para ir ao seu escritório no dia seguinte para receber o milhão de dólares de que ele precisava para fundar a sua instituição educacional. E assim nasceu o Armour Institute of Technology.

Às vezes hesitamos em agir porque não temos a certeza de nosso sucesso. No entanto, adiar a ação sobre os nossos objetivos até que alcancemos algum limite de capacidade determinado de modo não natural garante que nos tornaremos cada vez menos capazes de alcançá-los, pois a nossa determinação e fé se enfraquecerão à medida que o nosso conhecimento crescer.

A alegria da autossuficiência torna-se a permanência da autoconfiança.

Surge agora a questão de saber se *toda* ação leva à autoconfiança, pois os esforços que terminam em derrota não dariam um golpe em nosso ego? Hill fez a mesma pergunta a Carnegie, que respondeu com a seguinte declaração: "Todo fracasso traz consigo a semente de um benefício equivalente. A vida dos grandes líderes mostra que seu sucesso é proporcional ao seu domínio da derrota temporária".[61] Como exploraremos mais no próximo capítulo, a autoconfiança máxima deriva de aprender a lidar sozinho com situações incertas ou difíceis. Quando perseveramos nos desafios que a vida nos apresenta, cultivamos uma crença inabalável em nós mesmos.

DESCUBRA O PODER DE IR ALÉM

Para converter as nossas ações em poder, devemos combinar determinação com entusiasmo – energia positiva que nos motiva a ir além. A filosofia de sucesso de Hill não deixa espaço para autopiedade ou negatividade sobre as circunstâncias de alguém. Pois "ficar desanimado com relação ao seu destino na vida serve apenas para menosprezar a si mesmo. Permanecer determinado quanto a coisas melhores, e estar pronto e ansioso para trabalhar por coisas melhores, certamente trará sua recompensa".[62]

Como menciona o prefácio, Hill originalmente considerava a autoconfiança o primeiro "requisito" para o sucesso, mas depois ela foi agrupada sob a bandeira do "entusiasmo". Os dois estados certamente estão inter-relacionados, pois o entusiasmo é "aquela grande força dinâmica que coloca a autoconfiança em ação".[63] Quando mantemos o estado mental de autoconfiança, os nossos pensamentos são emocionados pelo entusiasmo. Isso, por sua vez, amplia o poder da autossugestão para trabalhar em nosso subconsciente, ajudando-nos a criar e implementar planos definidos.

O entusiasmo é tão estimulante que melhora a nossa iniciativa pessoal, motivando-nos a desempenhar as nossas funções e ações em um nível superior ao esperado, o que realimenta o nosso entusiasmo. Esse ciclo construtivo de autoconfiança – que se reproduz indefinidamente – garante que estejamos sempre ampliando o nosso poder, aumentando os nossos pensamentos e as nossas ações com fé e entusiasmo. Como Hill explica: "Essa questão de ir além e tornar isso seu assunto pessoal para ter prazer em ir além certamente desenvolve a iniciativa pessoal. Isso faz com que você sinta alegria ao agir por iniciativa própria".[64] A alegria da autossuficiência torna-se a permanência da autoconfiança. Nada ficará no caminho de indivíduos que se comprometem com entusiasmo e de todo o coração a encontrar maneiras de agregar valor em todos os seus empreendimentos.

"

Lincoln começou em uma cabana de madeira e chegou à Casa Branca - porque acreditava em si mesmo. Napoleão começou como um pobre corso e colocou metade da Europa aos seus pés - porque acreditava em si mesmo. Henry Ford começou como um pobre fazendeiro e colocou mais rodas em movimento do que qualquer outro homem na face da Terra - porque acreditava em si mesmo. Rockefeller começou como um contador pobre e se tornou o homem mais rico do mundo - porque acreditava em si mesmo. Eles conseguiram o que desejavam porque tinham confiança em suas próprias habilidades. Agora, a pergunta é: POR QUE VOCÊ NÃO DECIDE O QUE QUER E, ENTÃO, VAI LÁ E FAZ ACONTECER?[65]

PONTOS-CHAVE

- O pensamento deve ser seguido pela ação. É por meio de uma ação decisiva que podemos erradicar os medos e as dúvidas que ameaçam diminuir a nossa autoconfiança.

- A inação enfraquece a nossa determinação, esgota a nossa criatividade e nos predispõe a duvidar de nós mesmos.

- Quando progredimos em direção ao nosso desejo principal, ganhamos impulso, o que renova o nosso orgulho e a nossa satisfação e aumenta a autoconfiança.

- Não espere para agir na realização dos seus sonhos até se sentir preparado para o sucesso – sua determinação e fé se enfraquecerão nesse ínterim. Os obstáculos irão conter as oportunidades de crescimento e realização.

- Combine determinação com entusiasmo – energia positiva que o motiva a ir além.

🗝 Você terá entusiasmo e iniciativa pessoal quando...

1. DESENVOLVER UM ESTADO DE ESPÍRITO PARA TER AÇÕES DECISIVAS

🗝 Repita, com entusiasmo, os cinco passos da Fórmula da Autoconfiança descritos no capítulo anterior. Em outras palavras, enquanto você mantém o seu objetivo principal definido na mente, emocione a sua imagem mental anexando entusiasmo a ela. Descubra a motivação que isso proporciona para ir além.

🗝 No contexto de um grupo de estudos, discuta as decisões sobre as quais você tem hesitado e que estejam relacionadas ao seu objetivo principal definido. O que o tem impedido de agir? Você consegue identificar de onde vem a sua hesitação? Determine uma ação que você poderia executar nesta semana para criar uma mudança positiva em sua vida.

5

Podemos realizar muito quando aprendemos a esperar muito de nós mesmos.

– Napoleon Hill, "Oportunidade"

INSPIRANDO AUTOCONFIANÇA NA PRÓXIMA GERAÇÃO

Com as gerações crescendo cada vez mais pobres em autoconfiança, é crucial que nos concentremos em desenvolver não apenas a nossa própria autoestima, mas também a autoestima dos jovens de hoje. Se você perguntar a um educador experiente qual é a causa número um do mau comportamento e do mau desempenho na escola, ele sem dúvida responderá: *baixa autoestima*. Podemos não ser capazes de controlar o ambiente das crianças, onde o *bullying* e a mídia tóxica podem diminuir a autoconfiança durante os anos mais formativos, mas podemos desenvolver a sua autoconfiança por meio de intervenção direta. Para pais, familiares, mentores, cuidadores, professores e outros que passam tempo com as crianças, isso significa, em primeiro lugar, evitar críticas e focar na capacidade e, em segundo lugar, ensinar às crianças o orgulho que vem de enfrentar desafios apropriados à idade por conta própria.

EVITE CRÍTICAS

A crítica tem uma função de prever algo que está fadado a se cumprir. Quando você rotula uma criança como "malcriada" ou "má" ou diz a ela que nunca será nada na vida, ela internaliza essas palavras, e sua mente subconsciente trabalha para materializar os pensamentos negativos. A mente subconsciente é particularmente flexível na infância, de modo que as palavras duras e insensíveis de familiares e mentores podem prejudicar profundamente o senso de identidade de uma criança, predispondo-a à consciência do fracasso pelo resto da vida. Hill enfatiza que:

> Os pais muitas vezes causam danos irreparáveis aos filhos ao criticá-los. A mãe de um dos meus amigos de infância costumava puni-lo com uma vara quase diariamente, sempre completando o trabalho com a frase: 'Você vai parar na penitenciária antes dos vinte anos.' Ele foi enviado para um reformatório aos dezessete anos.[66]

Hill conhecia melhor do que ninguém o poder das palavras para diminuir ou aumentar a autoestima de uma criança. Nascido na pobreza e no analfabetismo, não se esperava que ele conseguisse algo grande na vida. Ele agiu de acordo com essas expectativas, provocando problemas em sua infância. Mas quando o seu pai se casou novamente, com uma mulher chamada Martha Ramey Banner, um ano depois que sua mãe morreu, Hill foi rapidamente retirado do caminho do fracasso e colocado firmemente no caminho do sucesso. Don Green, diretor-executivo e CEO da Fundação Napoleon Hill, conta a história desta forma:

Aos onze anos, Hill foi persuadido por sua madrasta a considerar se tornar um escritor por causa de sua imaginação ilimitada. Martha disse ao enteado: 'Se você dedicar tanto tempo à leitura e à escrita quanto a causar problemas, poderá viver para ver o momento em que a sua influência será sentida em todo o estado'.

Quando Hill tinha doze anos, sua madrasta o convenceu a trocar a arma de que tanto se orgulhava por uma máquina de escrever. Isso foi em 1895, quando as máquinas de escrever não estavam prontamente disponíveis. Martha novamente encorajou o menino muitas vezes travesso, dizendo-lhe: 'Se você se tornar tão bom com uma máquina de escrever quanto com essa arma, pode se tornar rico, famoso e conhecido em todo o mundo'.[67]

É claro que sabemos como a semente do pensamento plantada pela madrasta de Hill floresceu, dando a ele autoconfiança para trabalhar incansavelmente por décadas para tornar a primeira filosofia de sucesso abrangente disponível para o público em geral e perseverar em uma série de fracassos nos negócios ao longo da vida.

Pais, parentes próximos, educadores e mentores devem se conscientizar da influência significativa que têm sobre a vida das crianças. À medida que as crianças formam o seu senso de identidade, elas exigem validação dos adultos para se tornarem confiantes o suficiente sobre quem são para perseguir seu objetivo principal definido. Elas precisam de alguém que promova seu senso de individualidade, compartilhando conselhos como este, de Emerson:

Insista em você mesmo; nunca copie. Seu próprio dom você pode apresentar a cada momento com a força cumulativa do cuidado de uma vida

inteira; mas, do talento adotado de outro, você tem apenas uma posse parcial e improvisada.[68]

"

Embora as crianças certamente possam superar sua programação infantil anos mais tarde, elas são muito mais propensas a ter sucesso e desfrutar de uma existência satisfatória se agirem a partir de um estado de autoconfiança. Plantando as sementes do medo, do ressentimento, do ódio, da amargura e da consciência da pobreza, a crítica brota em crenças limitantes e comportamentos codependentes que podem ser difíceis de erradicar.

CULTIVE O JARDIM MENTAL DE UMA CRIANÇA

Em vez de receberem uma educação diária sobre seus defeitos e suas fraquezas, as crianças devem ser ensinadas sobre sua capacidade inerente – o poder de dar vida aos seus sonhos controlando os seus pensamentos. Quase todas as crianças podem apreciar os princípios básicos da filosofia de sucesso de Hill.

Se as crianças podem memorizar e recitar canções de ninar que ficam com elas por toda a vida, podem facilmente aprender a programar o subconsciente para o sucesso usando as mesmas ferramentas de memória. Afirmações, fórmulas de autoconfiança, planos de ação e comandos como 'Faça agora!' ajudam aqueles que estão convencidos de que essas técnicas nos predispõem a resultados positivos.

Compartilhe esses segredos com os jovens que estão prestes a começar a cultivar os jardins de sua vida. Você pode ser o jardineiro mestre que define a visão para um resultado positivo na vida apenas usando a metáfora da jardinagem. A vida pode ser um jardim. A vida começou em um jardim. Por que não demonstrar a uma criança como usar as ferramentas recebidas para cultivar o jardim de sua vida exatamente de acordo com suas especificações?[69]

Coloque as crianças no caminho do sucesso, fornecendo-lhes ferramentas de memória para desenvolver a sua consciência de sucesso. Você ficará surpreso ao ver como plantar as sementes da autoconfiança no início da vida produzirá um jardim de abundância mais tarde.

ESTIMULE A AUTOSSUFICIÊNCIA

Além de ensinar as crianças a aproveitar o poder de seus pensamentos usando afirmações e planos de ação, devemos dar a elas o maior presente e a base mais crucial para o sucesso – a autossuficiência. Muitos filhos são impossibilitados pelo excesso de zelo dos pais em protegê-los de qualquer sofrimento. Os jovens precisam experimentar a frustração de descobrir as coisas por conta própria. Se seus pais ou entes queridos sempre intervierem para resolver seus problemas antes que tenham a chance de resolvê-los, eles se sentirão inadequados e se tornarão dependentes de outros para resolver todas as dificuldades.

Dê às crianças o maior presente e a base mais crucial para o sucesso – a **autossuficiência.**

Por outro lado, dar às crianças espaço para errar e se recuperar – para navegar pela derrota temporária e descobrir as oportunidades que surgem dos obstáculos – permite que elas se tornem indivíduos equilibrados, resolutos e autossuficientes que podem pensar por si mesmos. Quando as crianças percebem que podem usar os próprios recursos mentais para navegar pelas incertezas e dificuldades da vida, elas desenvolvem uma firme confiança em suas habilidades que as tornam líderes fortes e grandes realizadores mais tarde. Como diz Hill, "a necessidade é uma professora de grande sagacidade".[70] Descobrir a desenvoltura de alguém é tão crucial para desenvolver a autoconfiança que Hill explica:

> Minha primeira tarefa ao aconselhar as pessoas que não têm autoconfiança é salvá-las de si mesmas. Falando figurativamente, elas devem ser levadas para o campo e autorizadas a 'fugir', assim como um cavalo. Elas devem descobrir a sua verdadeira força. Elas devem aprender que sua fraqueza não existe em nenhum lugar, exceto em suas próprias imaginações enganosas.[71]

Permita que as crianças descubram o seu poder por meio da brincadeira, sem rondar e evitar que algo lhes cause desconforto, mesmo momentâneo. A criatividade e a determinação que elas obterão por meio do aprendizado por tentativa e erro aumentarão a sua autoestima e as salvarão da doença moderna do desamparo. Este é um grande chamado, ao qual todos aqueles que têm influência sobre a vida das crianças devem atender. Como Hill declara:

> Com todas essas grandes lições que aprendemos, estamos frente a frente, agora, com a oportunidade de impor à mente de nossos filhos a soma total do que aprendemos para que se torne parte de sua filosofia e conduza a próxima geração a grandes realizações que surpreenderão o mundo.
>
> Esse é o único método pelo qual podemos transmitir à posteridade o benefício daquilo que aprendemos por meio do combate, da luta e da experimentação. Que gloriosa oportunidade aguarda agora a liderança de homens e mulheres nas escolas, nas igrejas e na mídia, os três principais meios pelos quais essas grandes lições podem ser incutidas de modo firme na mente de nossos jovens.

[...]

Vamos todos contribuir com o nosso apoio e a cooperação individual para que nossos filhos possam aprender as vantagens de colocar o princípio acima do dinheiro, e a humanidade, como um todo, acima do indivíduo.[72]

PONTOS-CHAVE

- A baixa autoestima é uma das principais – se não a principal – causas do mau comportamento das crianças e do baixo desempenho acadêmico.

- Pais, cuidadores, familiares, professores, mentores e outros podem desenvolver a autoconfiança das crianças...

  - ✓ evitando críticas
  - ✓ destacando as habilidades
  - ✓ inspirando autossuficiência

- A crítica tem uma função de prever algo que está fadado a se cumprir: as crianças internalizam quando os adultos as chamam de "malcriadas" ou "más" ou dizem que elas nunca serão nada na vida, e então o seu subconsciente trabalha para materializar esses pensamentos negativos.

- Cuide do jardim mental de uma criança plantando as sementes da autoestima. Use afirmações, fórmulas de autoconfiança, planos de ação e outras ferramentas de incentivo, como música e versos infantis: a memorização e a recitação de declarações positivas produzirão autoconfiança e consciência de sucesso.

- Promova o senso de individualidade das crianças e incentive a sua capacidade de resolver problemas. Dê espaço para que elas experimentem a frustração de descobrir como superar obstáculos apropriados à idade, e você lhes dará um presente inestimável: **autossuficiência.**

- Você terá a alegria de construir a próxima geração de líderes e de inovadores quando…

1. DESENVOLVER UM ESTADO DE ESPÍRITO PARA INSPIRAR AUTOCONFIANÇA NAS OUTRAS PESSOAS

- Incentive as crianças a lerem poemas ou canções inspiradoras. O prazer da rima e do ritmo ajudará as crianças a se lembrarem de ter fé em si mesmas e persistir em seus esforços para atingir o seu objetivo principal definido.

- Se você tem filhos pequenos, use o tempo dedicado aos trabalhos manuais para criar afirmações que você pode pendurar no quarto deles. Faça com que seja divertido: pinte-as, adicione adesivos ou decore-as de uma maneira que as torne atraentes para os olhos das crianças. Se os seus filhos forem mais velhos, dê a eles um diário e forneça dicas que incitem o autoaprendizado para ajudá-los a descobrir e solidificar a sua confiança em seus pontos fortes. Compartilhe livros que inspirem o crescimento pessoal e organize sessões regulares de estudo para trocar ideias sobre as leituras.

- Crie um problema pequeno e adequado à idade para uma criança resolver. Por exemplo, para as de aproximadamente 2 anos, dê um brinquedo desmontável cujas partes foram desconectadas e convide-as a montá-lo novamente. (Para crianças mais velhas, encontre tarefas mais apropriadas à idade – é claro, nada perigoso ou muito difícil, apenas algo para ajudá-las a desenvolver as suas habilidades de pensamento crítico, como um cenário hipotético a ser considerado.) Contenha-se de intervir para ajudar; reconheça e valide as suas tentativas e incentive-as a persistir em seus esforços. Depois que elas cumprirem a tarefa, apresente-lhes outra um pouco mais desafiadora. Ao criar oportunidades de solução de problemas, as crianças desenvolverão a sua sabedoria prática, sua autossuficiência e sua autoconfiança simultaneamente.

- No contexto de um grupo de estudos, discuta estratégias para DESENVOLVER as crianças a aumentarem sua autoconfiança. Identifique oportunidades de orientação e influencie positivamente as crianças cuja autoconfiança foi impedida de se desenvolver mais cedo.

Vender-se por tão pouco é uma afronta ao seu Criador.

COMO DESENVOLVER A AUTOCONFIANÇA

POR NAPOLEON HILL

A pessoa mais notável que vive agora é aquela que está lendo esta frase. Se você não reconhece essa verdade, então deve começar imediatamente a seguir estas instruções:

- Adote um Propósito Principal Definido e comece a partir de onde você está para alcançá-lo.
- Escreva uma declaração clara das vantagens que você vê em seu Propósito Principal Definido e evoque-a em sua mente muitas vezes ao dia, na forma de uma oração para ser alcançada.
- Se o seu Propósito Principal é conseguir algo material, como dinheiro, veja-se já na posse dele quando o chamar para a sua consciência.

- Associe-se ao maior número possível de pessoas que simpatizem com você e com o seu Propósito Principal e induza-as a lhe dar encorajamento e confiança de todas as maneiras possíveis.
- Não deixe passar um único dia sem fazer pelo menos um movimento em direção à realização de seu Propósito Principal Definido, e lembre-se de que nada que vale a pena é realizado sem AÇÃO – AÇÃO – AÇÃO!
- Escolha uma pessoa próspera e autoconfiante como seu "líder" e decida não apenas alcançá-la em suas realizações, mas superá-la.
- Quando você se deparar com a derrota, quando os obstáculos entrarem em seu caminho e a caminhada for difícil, não desista; acione mais força de vontade e continue seguindo em frente.
- Siga o hábito de nunca fugir de circunstâncias desagradáveis, mas aprenda a transmutá-las em inspiração para a realização de seus desejos.
- E lembre-se que AMOR e Ódio tiveram um desentendimento. O Ódio desenhou um anel em torno de si que excluiu o AMOR, mas o AMOR se ocupou com um grande sorriso e desenhou um anel maior que acolheu o Ódio e seu pequeno anel novamente.

- Por último, reconheça que tudo que vale a pena tem um preço a ser pago. O preço da autoconfiança é a vigilância eterna no cumprimento dessas instruções. A sua palavra de ordem deve ser PERSISTÊNCIA.

E lembre-se: se você se vender por pouco e por falta de autoconfiança, estará sendo ingrato com seu Criador; seu único e exclusivo privilégio é o de dominar e usar sua própria mente para a determinação de seu próprio destino terreno.

DIÁRIO

NOTAS

1. Napoleon Hill, "Self-Confidence" ["Autoconfiança"], palestra proferida em "Applied Psychology" ["Psicologia Aplicada"], George Washington Institute, Chicago, IL, 1917, D1.

2. Napoleon Hill, *Outwitting the Devil* [*Mais esperto que o Diabo*] (Shippensburg, PA: Sound Wisdom, 2020), 20–21.

3. Andrew Carnegie citado em *Napoleon Hill's Greatest Speeches* (Shippensburg, PA: Sound Wisdom, 2016), 20.

4. Hill, *Napoleon Hill's Greatest Speeches* (Shippensburg, PA: Sound Wisdom, 2016), 40.

5. Hill, "Self-Confidence" ["Autoconfiança"], D5.

6. Hill, *Napoleon Hill's Success Principles Rediscovered* (Shippensburg, PA: Sound Wisdom, 2017), 172.

7. Hill, *Greatest Speeches*, 41.

8. Hill, "Self-Confidence" ["Autoconfiança"], D2.

9. Don M. Green citado em *Napoleon Hill's Greatest Speeches*,

10. Napoleon Hill, *Think and Grow Rich* [*Quem pensa enriquece*] (Shippensburg, PA: Sound Wisdom, 2017), 74–75.

11. Hill, *Greatest Speeches*, 40–41.

12. Hill, *Napoleon Hill's Gold Standard* (Shippensburg, PA: Sound Wisdom, 2016), 49.

13. Ralph Waldo Emerson, "Self-Reliance" ["Autossuficiência"], em *Essays* [Ensaios] (Nova York: Charles E. Merrill Co., 1907), 80, http://www.gutenberg.org/files/16643/16643-h/16643-h.htm#SELF-RELIANCE.

14. Hill, "Self-Confidence" ["Autoconfiança"], D9.

15. Napoleon Hill e Judith Williamson, *Napoleon Hill's Life Lessons* (Shippensburg, PA: Sound Wisdom, 2008), 29.

16. Hill, "Self-Confidence" ["Autoconfiança"], D1.

17. William Ernest Henley, "Invictus," http://www.poetryfoundation.org/poems/51642/invictus.

18. Emerson, "Self-Reliance" ["Autossuficiência"], 81.

19. Napoleon Hill, *Think and Grow Rich* [*Quem pensa enriquece*], 32–33.

20. Emerson, "Self-Reliance" ["Autossuficiência"], 83.

21. Hill, "Self-Confidence" ["Autoconfiança"], D15.

22. Napoleon Hill, *The Master-Key to Riches* [*A chave-mestra das riquezas*] (1945; repr., Shippensburg, PA: Sound Wisdom, 2018), 168.

23. Hill, "Self-Confidence" ["Autoconfiança"], D7.

24. Os seis medos básicos são: pobreza, crítica, doença, perda do amor, velhice e morte.

25. Napoleon Hill, *Think and Grow Rich* [*Quem pensa enriquece*], 47.

26. Napoleon Hill, *Think and Grow Rich* [*Quem pensa enriquece*] (Shippensburg, PA: Sound Wisdom, 2020), 67.

27. Napoleon Hill, *Outwitting the Devil* [*Mais esperto que o Diabo*], 140.

28. Napoleon Hill, *Think and Grow Rich* [*Quem pensa enriquece*], 297.

29. Ibid., 109–10.

30. Ibid., 110.

31. Napoleon Hill, *Think and Grow Rich in Ten Minutes a Day*, 44.

32. Napoleon Hill, *Think and Grow Rich* [*Quem pensa enriquece*], 106.

33. Ibid., 107.

34. Ibid., 249.

35. Ibid., 254.

36. Ibid., 107.

37. Napoleon Hill, *Think and Grow Rich in Ten Minutes a Day*, 43.

38. Napoleon Hill, *Think and Grow Rich* [*Quem pensa enriquece*], 236.

39. Napoleon Hill, *Napoleon Hill's Road to Success: The Classic Guide for Prosperity and Happiness* (Nova York: TarcherPerigee, 2016), 21.
40. Napoleon Hill, *Think and Grow Rich* [*Quem pensa enriquece*], 240.
41. Ibid., 237.
42. Ibid., 342.
43. Hill, *Road to Success* [*Estrada para os sucesso*], 21.
44. Ibid., 23.
45. Ibid., 31.
46. Napoleon Hill, *Outwitting the Devil* [*Mais esperto que o Diabo*], 255.
47. Carnegie citado em Hill, *Greatest Speeches*, 20.
48. Hill, *Road to Success* [*Estrada para o sucesso*], 32.
49. Ibid., 30.
50. Ibid., 31.
51. Napoleon Hill, *Think and Grow Rich* [*Quem pensa enriquece*], 73.
52. Ibid., 74–75.
53. Hill, *Gold Standard* [*As regras de ouro*], 202–03.
54. Hill, "Self-Confidence" ["Autoconfiança"], D8.
55. Hill, *Life Lessons* [*Lições de vida*], 29–30.
56. Hill, *Road to Success* [*Estrada para o sucesso*], 27–28.
57. Carnegie citado em Hill, *Greatest Speeches*, 20.
58. Napoleon Hill, *Think and Grow Rich* [*Quem pensa enriquece*], 327.
59. Ibid., 223.
60. Frank W. Gunsaulus citado em Hill, *Think and Grow Rich* [*Quem pensa enriquece*], 137–38.
61. Carnegie citado em Hill, *Greatest Speeches*, 20.
62. Hill, *Road to Success* [*Estrada para o sucesso*], 30.
63. Hill, *Greatest Speeches*, 43.
64. Ibid., 241.
65. Hill, *Road to Success* [*Estrada para o sucesso*], 32.
66. Napoleon Hill, *Think and Grow Rich* [*Quem pensa enriquece*], 342.

67. Don M. Green citado em Hill, *Greatest Speeches*, 16.

68. Emerson, "Self-Reliance" ["Autossuficiência"], 110–11.

69. Hill, *Gold Standard* [*As regras de ouro*], 74.

70. Napoleon Hill, *Outwitting the Devil* [*Mais esperto que o Diabo*], 200.

71. Hill, *Greatest Speeches*, 41.

72. Napoleon Hill, "Opportunity" ["Oportunidade"], *Napoleon Hill's Magazine* 1, n. 8 (janeiro de 1922). Reimpresso em *Napoleon Hill's Success Secrets Rediscovered*, rev. (Shippensburg, PA: Sound Wisdom, 2017), 173.

SOBRE O AUTOR

NAPOLEON HILL nasceu em 1883, em uma cabana de um cômodo em Pound River, em Wise County, Virgínia. Ele começou a carreira de escritor aos treze anos como "repórter da montanha" para jornais de pequenas cidades e se tornou o autor motivacional mais amado da América. Hill faleceu em novembro de 1970 após uma longa e bem-sucedida carreira escrevendo, ensinando e dando palestras sobre os princípios do sucesso. O trabalho do Dr. Hill é um marco na conquista individual e a pedra angular da motivação moderna. Seu livro *Quem pensa enriquece* é o maior best-seller de todos os tempos no assunto. Hill estabeleceu a sua Fundação como uma instituição educacional sem fins lucrativos cuja missão é perpetuar a sua filosofia de liderança, automotivação e realização pessoal. Os seus livros, fitas de áudio, fitas de vídeo e outros produtos motivacionais estão disponíveis como um serviço da Fundação para que você possa construir sua própria biblioteca de materiais de realização pessoal... e para ajudá-lo a adquirir riqueza financeira e as verdadeiras riquezas da vida.

The Napoleon Hill Foundation

What the mind can conceive and believe, the mind can achieve

Livros para mudar o mundo. O seu mundo.

Para conhecer os nossos próximos lançamentos
e títulos disponíveis, acesse:

www.**citadel**.com.br

/citadeleditora

@citadeleditora

@citadeleditora

Citadel – Grupo Editorial

Para mais informações ou dúvidas sobre a obra,
entre em contato conosco por e-mail:

contato@**citadel**.com.br